écrit livre

Les Animaux fantastiques

Jacques **Fijalkow**
Joëlle **Garcia**
Patrice **Cayré**

Cycle 2

Préface

Apprendre à lire,

- c'est apprendre à **tout lire**, les textes comme les documents,
- c'est orienter l'enfant vers toutes sortes d'activités de lecture et d'écriture,
- c'est résoudre des activités proposées comme des situations-problèmes,
- c'est aussi émettre des suppositions, faire des choix, les expliquer.

La collection **Magnard Documents** propose, pour chacun de ses ouvrages, un thème qui guide l'enfant vers d'autres activités de lecture et d'écriture dans **un parcours transversal** des différentes matières, que ce soit en français, en mathématiques, en histoire, en éducation civique, en géographie, en technologie. Mais cette collection permet surtout de traiter toutes les **compétences transversales**.

Chaque thème de l'ouvrage est un guide de recherche, un point de départ pour se tourner vers **les documents réels**, photos, affiches, etc., nécessaires à un plein apprentissage de la lecture.
Chaque page propose des documents et du texte, sur lesquels portent les activités. A chaque sujet, sont définis **les objectifs** auxquels il se rapporte.

Le thème de ce **Magnard Documents, les animaux fantastiques**, permet à l'enfant de découvrir les animaux mystérieux qui n'existent plus, mais aussi ces bêtes sauvages qui hantent notre imaginaire ou encore ces êtres fabuleux de la mythologie qui nous enchantent.

Conception, réalisation et illustration de la couverture : KUBIKOM
Iconographie : Maryvonne BOURAOUI
Conception éditoriale et réalisation technique : F. GILLES, A. DENAVIT

Crédits iconographiques

Ph. couverture : © Roger-Viollet / Bibliothèque Augusta (Pérouse) - © F. Danrigal / Explorer - © P Aventurier / Gamma - © Roger-Viollet / Pierrefonds - **P. 4 :** Ph. 1 : © F. Gohier / Jacana. Ph. 2 : © F.W Cane / Rapho. Ph. 3 © C. Gautier / Jacana. Ph. 4 : © J.L. Charmet/ Muséum d'histoire naturelle de Paris. - **P. 5 :** Ph. 1 : © Ferrero & Labat / Jacana. Ph. 2 : © J.L Charmet / Imagerie Allemande. Ph. 3 : © J.M. Labat / Jacana. Ph. 4 : G. Trouillet / Jacana. - **P. 6** : Ph. 1 : © Institut de Paléontologie / Muséum national d'Histoire naturelle. Ph. 2 : © Institut de Paléontologie / Muséum national d'Histoire naturelle. Ph. 3 : © Institut de Paléontologie / Muséum national d'Histoire naturelle. Ph. 4 : © Institut de Paléontologie / Muséum national d'Histoire naturelle - **P. 7 :** Ph. 1 : © J.L. Charmet / Les animaux préhistoriques. 1941. Ph. 2 : © T. Carroll / Explorer. Ph. 3 : © R. Platta / Explorer. Ph. 4 : © F. Gohier / Jacana. Ph. 4 : © F. Gohier / Jacana. Ph. 5 : © R. Platta / Explorer. - **P. 8 :** Ph. 1 © B. Bisson / Sygma. Ph. 2 : © B. Bisson / Sygma. - **P. 9** : Ph. 1 : © United International Pictures. Ph. 2 : © J.L. Charmet / Voyage au centre de la terre. Jules Verne. Ph. 3 : © Monoprix. Ph. 4 : © Monoprix. Ph. 5 : © Monoprix. - **P.10 :** Ph. 1 : © Roger-Viollet. Ph. 2 : © Roger-Viollet / Musée de Lyon.- **P. 11 :** Ph.1 : © Institut de Paléontologie / Musée National d'Histoire Naturelle. - **P. 12 :** Ph. 1 : © M. Evans / Explorer. Ph. 2 : © Novasti / Gamma. Ph. 3 : © J. Robert / Jacana. Ph. 4 © K. Heiman / Sygma. - **P. 13 :** Ph.1 : © J.L. Charmet/ Muséum national d'Histoire naturelle. Ph. 2 : © Musée de l'Homme. Paris. Ph. 3 : Ph. Leroux / Explorer. Ph. 4 : © F. Proust / Sygma.- **P. 14 :** Ph. 1 : © J.M. Labat / Jacana. - **P. 15 :** Ph. 1 : © Roger-Viollet / Le petit chaperon rouge. Ch. Perrault. Ph. 2 : © G. Dagli Orti / Bibliothèque Marciana à Venise. Ph. 3 .- **P. 16 :** Ph. 1 : © S. Cordier / Jacana. Ph. 2 : © J.M. Labat / Jacana - **P. 17** : Ph. 1 : © C. de Virieu / Petit Format. Ph. 2 : © L. Maous / Gamma. - **P. 18 :** Ph. 1 : © K. Amsler / Jacana. Ph. 2 : © P. & B. Boyle / Jacana. Ph. 3 : © G. Sonny / Jacana. Ph 4 : © J. Mark / Jacana. - **P. 19 :** Ph. 1 : © Wyman / Sygma. - **P. 20 :** Ph. 1 : © M.C. Hugh / Jacana. Ph. 2 : © Fossey / Sipa-Press. Ph. 3 : © Roger-Viollet / Népal. Ph. 4 : © Collection Christophe L. - **P. 21 :** Ph. 1 : © G. Ziesler / Jacana. Ph. 2 : © Editions Zriek / Doc (MK). Ph. 3 : © G. Sonny / Jacana - **P. 22 :** Ph. 1 : © J.L. Charmet / Bibliothèque des Arts décoratifs de Paris. Ph. 2 : © P. Forget / Explorer. - **P. 23 :** Ph.1 : © J.L. Charmet / Eventail peint par Rosa Bonheur. Ph. 2 : © Roger-Viollet / Bible d'Ovidio Nasone. Ph. 3 : © Walt Disney Productions. - **P. 24 :** Ph. 1 : © J.L. Charmet / La petite sirène. M.C. Andersen. Ph. 2 : © Giraudon. Ph. 3 : © G. Dagli Orti / Musée National d'Archéologie d'Athènes. - **P. 25 :** Ph. 1 : G. Dagli Orti / Musée du Louvre. Ph. 2 : © Bulloz / B.N de Paris. - **P. 26 :** Ph. 1 : © RMN. Ph. 2 : © G. Dagli Orti / Musée du Louvre. - P. 27: Ph. 1 : © Roger-Viollet / Bruxelles. Ph. 2 : G. Dagli Orti / Musée Archéologique de Florence. - **P. 28 :** Ph. 1 : © Collection Roger-Viollet. Ph. 2 : © J.L. Charmet / B.N de Paris. - **P. 30 :** Ph. 1 : © J.L. Charmet / Je sais tout. 1934. Ph. 2 : © Guerret / Gamma.

Sommaire

n° Editeur: 9857. Dépôt legal: mars 1994. Imprimé en Italie par Pozzo Gros Monti S.p.A. - Turin

les animaux

Qui sont-ils ?

Une baleine à bosses.

OBJECTIF
• Observer, classer, comparer des éléments du monde animal.

Une chouette effraie.

• Cherche plusieurs façons de classer ces animaux.

Un pou.
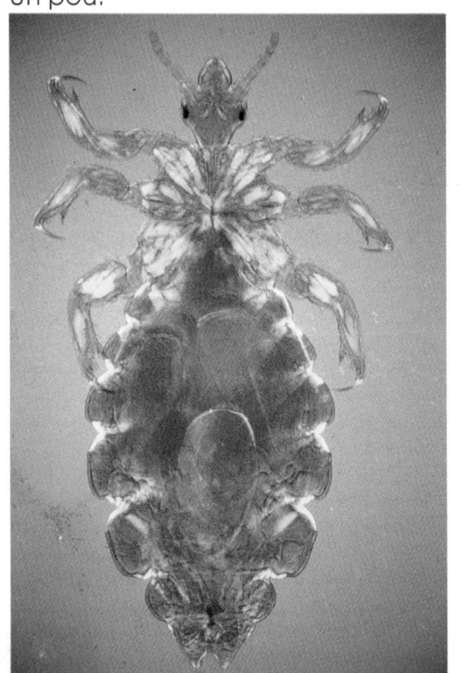

Un animal préhistorique.

Un dragon
à trois têtes.

Un crocodile.

- **Quels sont les animaux qui existent encore ?**
- **Quels sont ceux qui n'existent plus ?**
- **Quels sont ceux qui n'ont jamais existé ?**
- **Qu'est-ce qu'un animal fantastique ?**

Un loup.

Un berger allemand.

Les dinosaures

Un diplodocus.

Les dinosaures ont vécu il y a 230 millions d'années et ont disparu il y a 65 millions d'années.
Certains étaient gigantesques, comme le diplodocus qui pouvait atteindre 27 mètres de long et 12 tonnes de poids.
En principe ils étaient herbivores et inoffensifs. Mais les carnivores, comme le tarbosaure, s'attaquaient aux autres dinosaures.

Un squelette de diplodocus.

• Quels dinosaures sont herbivores ? carnivores ? Observe les photos.
• Quelles différences vois-tu entre les dinosaures et les animaux d'aujourd'hui?
• Sous quelle forme naissaient les petits dinosaures ?

Des tarbosaures...

et un squelette de tarbosaure.

qui n'existent plus

Des bracchiosaures.

Des œufs de diplodocus reconstitués.

Certains dinosaures avaient une grosse tête,
d'autres une toute petite tête ;
ils se déplaçaient sur quatre pattes
ou sur deux pattes ; certains même volaient.
Les dinosaures pondaient des œufs
pour se reproduire.

Un dimétrodon.

OBJECTIFS

- Se situer dans un passé plus ou moins lointain.
- Etudier des manifestations de la vie animale.

Un styrachosaure.

Un ptéranodon.

Les dinosaures

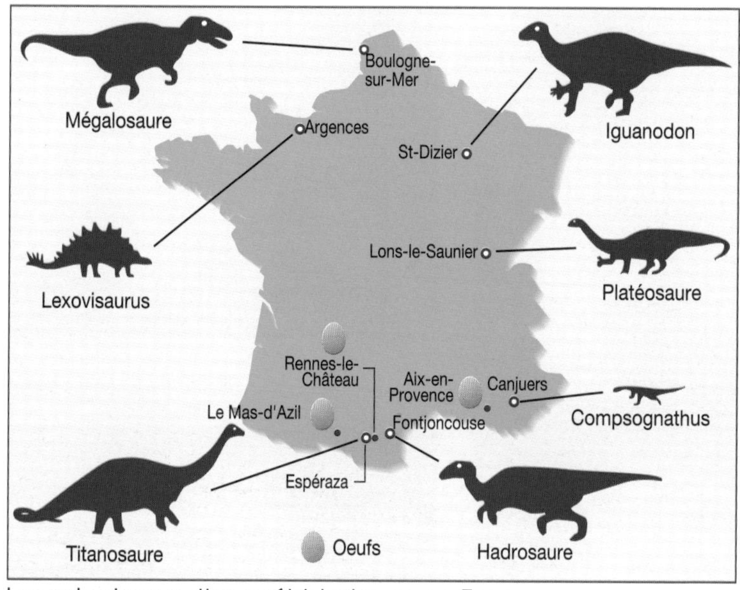

Les principaux sites préhistoriques en France.

On a retrouvé des fossiles de dinosaures un peu partout dans le monde, dont certains en France.

- **Quel est le site le plus proche de chez toi où l'on a retrouvé des restes de dinosaures ?**
- **Quel est le nom de ces dinosaures ?**

OBJECTIFS
- Reconnaître les principales sources d'information.
- Connaître d'autres milieux.

C'est grâce à ces os que l'on a pu connaître l'existence et le mode de vie des dinosaures.

Un sculpteur de tête de dinosaure.

Un os de dinosaure, retrouvé sur un site de fouilles.

La recherche et l'étude des fossiles constituent le travail des paléontologues.

- **Qu'est-ce qu'un paléontologue ?**
- **Qu'est-ce qu'un fossile ?**

Cherche dans un dictionnaire.

qui n'existent plus

Une image tirée du dessin animé *"Le petit dinosaure et la vallée des Merveilles".*

Les dinosaures fascinent les hommes. Beaucoup de livres et de films décrivent ces animaux fantastiques.
Des jouets ont été fabriqués.
Des images de dinosaures décorent des vêtements.

Une illustration d'un livre de Jules Verne.

• Quels titres de livre, de film et de dessin animé peux-tu lire sur cette page ?
• Le dinosaure du dessin animé a-t-il l'air féroce ?

OBJECTIF
• Commenter une image.

Un logo d'un film.

Des jouets...

...et des vêtements.

Le mammouth

Reconstitution d'un mammouth.

Le mammouth est apparu il y a 5 millions d'années. Ce mammifère vivait à une époque où il faisait très froid sur la Terre, il était protégé par une toison laineuse et une couche de graisse. Il possédait d'énormes défenses recourbées, mesurait 3,5 mètres de haut, 2,70 mètres de long et pesait 3,5 tonnes. Il se nourrissait d'herbes et allaitait ses petits.

Les hommes l'ont beaucoup chassé pour sa viande, sa peau et sa graisse. Même leurs cabanes étaient construites en os de mammouth. Ces *Eléphantidés* ont disparu il y a environ 10 mille ans, victimes de la chasse de l'homme et du changement de climat. Les mammouths, retrouvés gelés, étaient absolument intacts. L'un deux avait encore de l'herbe "préhistorique" dans l'estomac !

• A quelle époque ont vécu les mammouths ?
• Compare la taille de l'homme et du mammouth sur la photo.

OBJECTIFS
• Etudier des manifestations de la vie animale.
• Reconnaître les principales sources d'information.

Un squelette de mammouth découvert près de Lyon.

• Cherche des renseignements sur le mammouth pour remplir sa fiche d'identité.

OBJECTIFS

• Restituer et réorganiser des informations.
• Faire un compte rendu d'observation sous la forme la plus appropriée.

La statue du mammouth, au jardin des Plantes, à Paris.

Fiche d'identité

Nom : ____________________

Famille : ____________________

Poids : ____________________

Taille : ____________________

Description : ____________________

____

Alimentation : ____________________

Reproduction : ____________________

Où vit-il ? ____________________

Le mammouth

Découverte de deux mammouths gelés au nord de Saint-Pétersbourg.

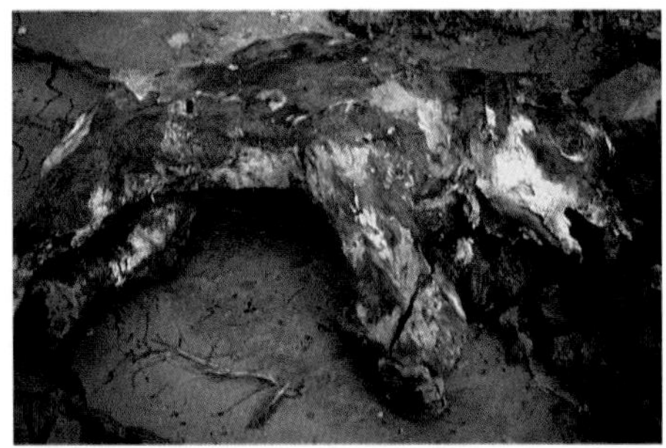

Un bébé mammouth gelé en Sibérie (40 000 ans).

• Pourquoi les mammouths retrouvés étaient-ils intacts ?
• Dans quel endroit du monde ont été retrouvés les mammouths gelés ?
• Quel est l'animal qui ressemble le plus au mammouth ?
• Que doit-on faire pour déguiser un éléphant en mammouth ? Observe les photos de *"La Guerre du feu"* et des éléphants.

Des éléphants "maquillés" en mammouths pour le film *"La guerre du feu"*.

Des éléphants d'Afrique.

Peinture de mammouths.

Le mammouth a toujours captivé l'homme.
De nombreux artistes l'ont peint ou reconstitué.

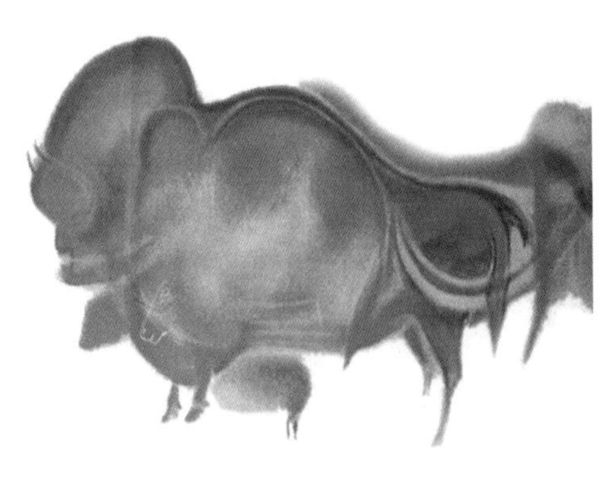

Peinture préhistorique de mammouths.

Reconstitution d'une scène de chasse au mammouth au parc de Saint-Vrain.

OBJECTIF

- Enrichir ses références artistiques.

Il a même donné son nom à une chaîne de magasins.

Un hypermarché Mammouth.

• Quelles différences y a-t-il entre les mammouths peints par des hommes préhistoriques et ceux peints par des artistes d'aujourd'hui ?
Observe les couleurs, les détails, le style des peintures à l'aide des photos.

Le loup

Les loups d'Europe.

Les loups, mammifères de la famille
des *Canidés*, vivent
dans les régions froides
de l'hémisphère Nord.
Ils sont de couleurs grise
et blanche, pèsent environ 40 kg,
pour 1 mètre 50 de long
et préfèrent vivre dans les forêts.
Ils se déplacent en bande
pour chasser le bétail
dont ils se nourrissent.

Ils délimitent leur territoire
pour y vivre pendant quelque
temps.
Les hommes les ont chassés
pendant des siècles. C'est pourquoi
il en reste si peu de nos jours.
C'est maintenant une espèce
protégée.
Les loups ne sont pas des monstres
et n'attaquent l'homme
que pour se défendre.

• Fabrique une fiche d'identité du loup (voir page 11) et remplis-la.
• Connais-tu d'autres animaux qui vivent en bande ?

OBJECTIF

• Étudier les manifestations de la vie animale.

qui existent

Le loup du *"Petit Chaperon rouge"*.

Beaucoup de contes et de légendes présentent le loup comme un animal féroce qui dévore les gens. C'est le cas, dans le conte de Charles Perrault, *"Le Petit Chaperon rouge"*.

Le loup-garou.

Le loup-garou est un être imaginaire. C'est un humain qui se transforme en loup les soirs de pleine lune.

Mowgli élevé par les loups.

Dans le *"Livre de la jungle"*, Mowgli est élevé par des loups.

• Connais-tu des histoires où l'on parle du loup?
• Est-il méchant ou gentil ?
• Lis le conte du Petit Chaperon rouge, page 31.

OBJECTIF
• Identifier divers aspects de son patrimoine culturel.

L'ours

L'ours est un *Ursidé* omnivore.
Aujourd'hui ce mammifère est un animal protégé.
Il en reste encore 6 000 environ, dont une dizaine dans les Pyrénées, en France.

• Cherche, dans le dictionnaire, les différents sens de hiverner et hiberner.
• Cherche dans quels pays se trouvent les différents ours.
• Fabrique une fiche d'identité de l'ours (voir page 11) et remplis-la.

L'ours polaire vit dans le grand Nord. Il est tout blanc, mesure 2 mètres et pèse 400 kg. Il se nourrit principalement de phoques. Les Inuits pensent qu'il est un dieu.

Des ours polaires.

Un ours brun d'Europe.

L'ours brun d'Europe est plus petit (1 mètre 50) et moins lourd (200 kg). Il se nourrit d'œufs et de fruits.
En hiver, tantôt les ours hivernent, tantôt ils hibernent.

OBJECTIF
• Etudier les manifestations de la vie animale.

qui existent

Si l'ours représente pour nous la force
et l'agressivité, le nounours
est un compagnon inséparable
pour les enfants.
En 1902, le président américain
Théodore Roosevelt captura et apprivoisa
un ourson. Un fabricant de peluche
le prit pour modèle et appela ce nouveau
jouet "Teddy bear".

Un petit garçon
et son nounours.

Des nounours.

OBJECTIFS

- Identifier divers aspects de son patrimoine culturel.
- Situer un milieu sur une carte et un planisphère.
- Chercher dans le dictionnaire.

Le requin

Le requin est un animal effrayant.
Le plus redoutable est le requin blanc baptisé "mangeur d'hommes".
Le plus gros est le requin-baleine : il peut mesurer 20 mètres de long tandis qu'en moyenne, les autres requins atteignent 4,5 mètres et pèsent 650 kg.

• Cherche, dans le dictionnaire, le sens de vivipare et d'ovipare.

Le requin blanc mangeur d'hommes.

Le requin appartient à la famille des *Isuridés*. Certains sont vivipares, d'autres ovipares.

Un homme entouré de requins.

Ils sont attirés par l'odeur du sang et attaquent les animaux marins dont ils se nourrissent. Quand ils perdent une dent, elle repousse en huit jours !

• Fabrique une fiche d'identité du requin (voir page 11) et remplis-la.

Le requin-baleine.

Le requin-marteau.

Le requin du film *"Les dents de la mer"*.

Beaucoup d'histoires et de films mettent en scène des requins. Le plus célèbre est *"Les dents de la mer"*, tourné en 1977. Il raconte comment un requin blanc sème la terreur dans une ville du bord de l'océan Pacifique. Ce film fait tellement peur qu'il est interdit aux enfants de moins de 12 ans.

OBJECTIFS
• Etudier les manifestations de la vie animale.
• Utiliser le dictionnaire.
• Identifier divers aspects de son patrimoine culturel.

• Qu'est-ce qui est le plus effrayant chez le requin des *"Dents de la mer"* ?

Le gorille

Un gorille et son petit.

Dian Fossey et les gorilles.

Le gorille, gros singe de la famille des *Pongidés*, est un mammifère doté d'une force exceptionnelle qui peut mesurer jusqu'à 1 mètre 80 et peser 200 kg !
Il se nourrit de fruits et de feuilles.

• King-Kong, créé au cinéma, est un gorille géant capturé par les hommes. Il s'échappe et sème la panique à New York.

• Le Yéti, animal imaginaire, vit dans l'Himalaya. Les Tibétains l'appellent "l'abominable homme des neiges".

• Fabrique une fiche d'identité du gorille (voir page 11) et remplis-la.

• Cherche sur une carte où se trouve le Tibet.

Le Yéti.

Une scène du film *"King-Kong"* 1933.

La chauve-souris

La chauve-souris est un petit mammifère mystérieux de la famille des *Chiroptères*. Elle pèse environ 30 grammes et ne mesure que 6 à 10 centimètres d'envergure. Elle vit la nuit et se nourrit d'insectes. Une espèce d'Amérique du Sud est appelée "vampire", comme ces créatures imaginaires qui boivent le sang humain.

Un groupe de vampires.

• Fabrique une fiche d'identité de la chauve-souris (voir page 11) et remplis-la.
• Qu'est-ce qui rappelle la chauve-souris chez Batman et Dracula?

OBJECTIFS

• Etudier les manifestations de la vie animale.
• Identifier divers aspects de son patrimoine culturel.
• Situer un milieu sur une carte ou un planisphère.

Batman.

Une affiche du film *"Dracula"*.

Les dragons

Un dragon marin japonais...
et des dragons chinois.

Selon la légende japonaise, le dragon marin produit la pluie et le tonnerre. Il vit dans les océans.

Les Chinois ont longtemps vénéré les dragons. Pendant des siècles, il a été le symbole de l'empereur de Chine. La légende dit que le pouvoir du dragon chinois est enfermé dans une perle. C'est un animal magique et immortel.

• Observe tous ces dragons ; quelles différences remarques-tu ?

Le nouvel an chinois.

Lors du nouvel an chinois, calculé selon le calendrier lunaire, le dragon est célébré par tous les Chinois du monde.

• Le nouvel an chinois est-il toujours à la même date ?
• Quelles différences y a-t-il entre le nouvel an chinois et le nôtre ?

imaginaires

Le chevalier au dragon.

Péléas et le dragon.

Dans les pays occidentaux, le dragon
est un démon.
Ces dragons ont des griffes et parfois plusieurs
têtes par lesquelles ils crachent du feu.
Dans les récits épiques, le chevalier combat
le dragon pour faire preuve de son courage.

• Quels dragons ont l'air méchant ?
Quels dragons ont l'air gentil ? Pourquoi ?

Eliott, le dragon.

Eliott est un dragon
sympathique, ami de Peter.
Le film de Walt Disney
raconte l'histoire de leur
amitié.

• Observe tous les dragons
des deux pages.
• Quelles différences y a-t-il
entre les dragons asiatiques
et les dragons occidentaux ?

OBJECTIF

• Identifier des aspects de son
patrimoine culturel.

Les créatures mi-hommes,

La petite sirène : gravure.

• La sirène est mi-femme, mi-poisson. La légende dit que le chant des sirènes attirait les navires sur des récifs pour que les bateaux coulent et les navigateurs se noient.

• Le sphinx d'Egypte est un lion couché avec une tête d'homme. Il gardait les tombeaux. Le sphinx de Grèce proposait des énigmes et dévorait ceux qui ne savaient pas y répondre.

• À quels animaux font penser ces créatures ?
• Quelle partie du corps ont-ils en commun ?
• Lis le document de la Petite Sirène, page 31.
• Cherche, sur une carte, les pays où l'on trouve le sphinx.

Le sphinx de Gizeh, en Egypte.

Le minotaure.

• Le minotaure est mi-homme, mi-taureau. Enfermé dans un labyrinthe, il dévorait, tous les neuf ans, sept jeunes gens et sept jeunes filles.

• Raconte les légendes de ces animaux.

OBJECTIF

• Situer un milieu sur une carte ou un planisphère.

• Cerbère est le nom d'un chien à trois têtes, dont le cou est hérissé de serpents.
Il gardait les portes de l'enfer.
Les morts devaient l'apaiser en lui présentant un gâteau au miel.
Orphée le calmait en jouant de la lyre, mais seul Hercule réussit à le dompter.

Le cerbère.

• Quelle particularité ont en commun Cerbère et l'hydre ?
• Sais-tu qui est Hercule ?
• Cherche qui est Orphée.
• Compte le nombre de têtes de l'hydre.

L'hydre.

• L'hydre est un affreux serpent d'eau à plusieurs têtes. Quand on lui en coupe une, il en repousse deux.

OBJECTIFS
• Identifier des éléments de son patrimoine culturel.
• Etablir des comparaisons et des analogies.

Les monstres volants

Pégase.

Le griffon.

• Pégase est le nom d'un cheval ailé qui fut la monture de Zeus, le dieu le plus puissant des Grecs pendant l'Antiquité.
Il représentait la poésie.

• Le griffon est un animal monstrueux. Il a un corps de lion, une tête de chèvre et il peut voler. Il était le gardien des temples.

• Quel est le point commun entre Pégase et le griffon ?
• A ton avis, pourquoi Pégase représente t-il la poésie ?

OBJECTIFS

- Identifier des éléments de son patrimoine culturel.
- Établir des comparaisons et des analogies.

Les animaux aux corps différents

La licorne.

• La licorne fait penser à un petit cheval blanc qui a une tête de bouc et une longue corne sur le front.
On dit qu'elle perdait sa férocité quand elle rencontrait une jeune fille.

• Comment peut-on voir que la licorne est gentille avec les jeunes filles ? Observe la photo.

• La chimère avait trois têtes : une de lion, une de chèvre, et une de dragon située au bout de la queue et qui, pour être encore plus terrifiante, crachait des flammes !

La chimère.

De combien d'animaux sont composés
• la licorne ?
• la chimère ?
• le griffon ?
• Pégase ?

OBJECTIFS
• Identifier des éléments de son patrimoine culturel.
• Etablir des comparaisons et des analogies.

Le Loch Ness et son monstre

Le monstre du Loch Ness.

Dans le nord de l'Ecosse se trouve un grand lac : le Loch Ness.
Un monstre marin y habiterait.
Les habitants de la région l'ont affectueusement appelé Nessie.
C'est peut-être un animal préhistorique qui aime vivre dans les eaux sombres du lac.
Là, il peut s'abriter dans des grottes souterraines et trouver de la nourriture.
Beaucoup de personnes prétendent l'avoir vu. Certains l'ont même pris en photo.

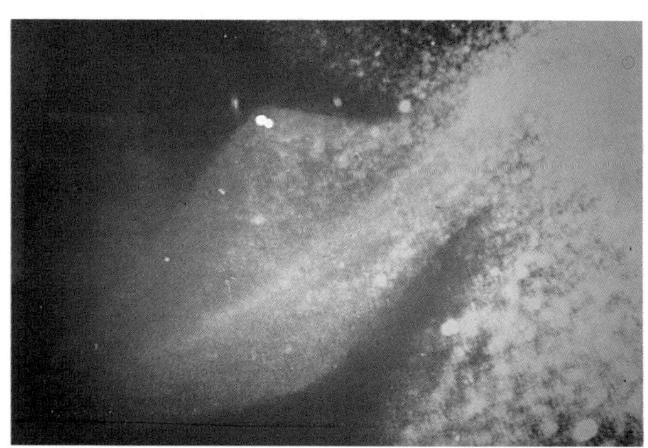
Est-ce bien Nessie ?

• A-t-on des preuves de l'existence du monstre du Loch Ness ?
• Que faudrait-il pour être sûr de sa présence ?

Carte de l'Écosse.

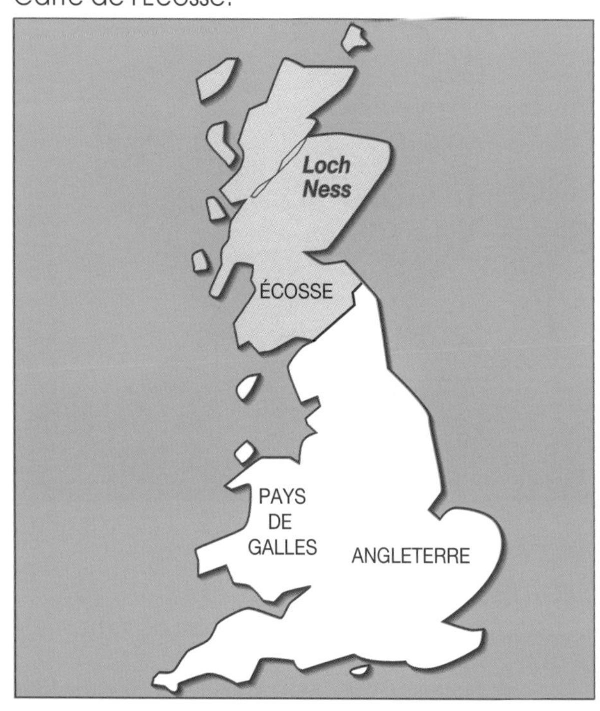

OBJECTIFS
• Identifier des éléments de son patrimoine culturel.
• Situer un lieu sur une carte ou un planisphère.

Le monstre du Loch Ness

Quatre témoignages de *"ils ont vu Nessie"* (ou il pensent l'avoir vu !).

En 1933 :
Monsieur et madame Mackay, hôteliers, rentraient chez eux en voiture d'Inverness quand ils virent une perturbation violente dans le lac à environ 100 mètres du bord. Ils remarquèrent également un énorme sillon qui avait été causé par une grosse chose qui bougeait à la limite de la surface de l'eau. Puis deux grosses bosses émergèrent et s'agitèrent dans l'eau en ondulant avant de disparaître dans une grande éclaboussure. L'histoire du témoignage des Mackay, parue dans "l'Inverness courrier", fut l'un des premiers rapports à paraître sur le monstre du Loch Ness.

En 1934 :
Monsieur Grant, vétérinaire à Glen Urqhart causa une vive émotion quand il raconta comment il avait vu Nessie sur la terre ferme le 5 janvier. Alors qu'il s'apprêtait à prendre un virage sur sa moto, sur la route d'Abriachan, il vit une chose sombre près des buissons, de l'autre côté de la route. Il vit une petite tête et un long cou sur la chose et manqua aller droit sur elle avec sa moto, peu avant que le monstre traverse la route en bondissant et plonge dans le lac. Monsieur Grant dit que la créature avait deux nageoires à l'avant et deux autres à l'arrière. La queue mesurait dans sa totalité 5 à 6 mètres environ.

En 1968 :
Monsieur Turl, maître d'école en Angleterre, vit Nessie le 20 avril. Monsieur Turl conduisait le long du lac avec sa famille près de Drummadrosit, quand ils virent trois bosses dans l'eau. Les bosses étaient noires, immobiles, à demi recourbées qui ressemblaient à des petites îles ou à des rochers dans l'eau. Monsieur Turl dit que, quand la créature s'immergea, elle laissa une substance huileuse semblable à de la soie sur la surface de l'eau.

En 1973 :
Monsieur Jenkins, fermier d'Invermoristar à la retraite, proclama qu'il avait vu Nessie le 10 novembre près du rivage d'Invermoristar. Il dit qu'il avait vu une chose de couleur noire ou marron-gris émerger à environ 50 centimètres de la surface. La chose resta immobile pendant un court moment puis sombra lentement. La bouche du monstre mesurait environ 30 centimètres et monsieur Jenkins dit que la tête de la créature ressemblait à celle d'un serpent.

La bête du Gévaudan

La bête du Gévaudan empaillée
est présentée au roi Louis XV.

De 1765 à 1768, des loups affamés s'attaquèrent à des hommes et à des enfants dans la forêt du Gévaudan. Ils dévorèrent une centaine de personnes. Les gens imaginèrent que c'était une bête mi-lion, mi-hyène qui commettait ces crimes.

On l'appela "la bête du Gévaudan". Des hommes envoyés par le roi Louis XV tuèrent tous les loups.

La bête du Gévaudan : gravure.

Carte de France.

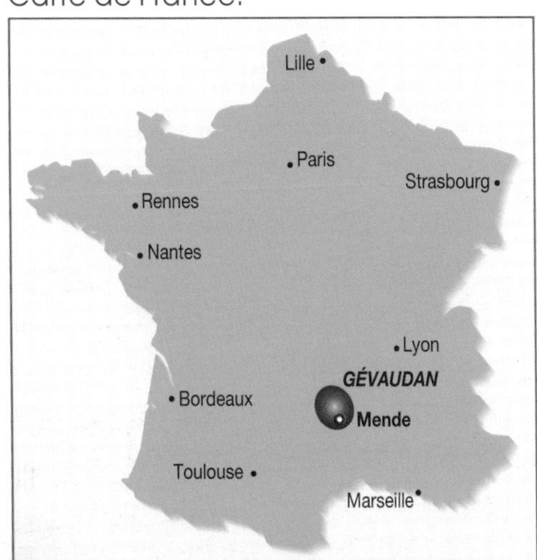

• Regarde où se trouve la région du Gévaudan sur la carte de France.
• Trouve ce qui fait qu'un animal est effrayant; qu'il est sympathique.

OBJECTIFS

- Identifier des éléments de son patrimoine culturel.
- Situer un lieu sur une carte ou un planisphère.

Les contes ont peut-être existé

Le Petit Chaperon rouge

Quelques temps après le Petit
Chaperon rouge vint heurter
à la porte : toc, toc.
— Qui est là ?
Le Petit Chaperon rouge, qui
entendit la grosse voix du loup,
eut peur d'abord, mais croyant
que sa grand-mère était enrhumée
répondit :
— C'est votre petite fille, le Petit
Chaperon rouge, qui vous apporte
une galette et un petit pot de
beurre que maman vous envoie.
Le loup lui cria en adoucissant
sa voix :
— Tire la chevillette, la bobinette
cherra.
Le Petit Chaperon rouge tira
la chevillette et la porte s'ouvrit.
Le loup, la voyant entrer lui dit
en se cachant dans son lit
sous la couverture :
— Mets la galette et le petit pot
de beurre sur la huche et viens
te coucher avec moi.
Le Petit Chaperon rouge
se déshabilla et s'alla mettre
dans le lit où elle fut bien étonnée
de voir comment sa grand-mère
était faite en son déshabillé.

Charles Perrault

La Petite Sirène

Pendant l'absence de ses cinq sœurs,
la plus jeune, restée auprès
de la fenêtre, les suivait du regard
et avait envie de pleurer.
Mais une sirène n'a point de larmes,
et son cœur en souffre d'avantage.
"Oh ! si j'avais quinze ans ! disait-elle,
je sens déjà combien j'aimerais
le monde d'en haut et les hommes
qui l'habitent."
Le jour vint où elle eut quinze ans.
"Tu vas partir, lui dit sa grand-mère ;
viens que je fasse ta toilette comme
à tes sœurs."
Elle posa sur ses cheveux
une couronne de lis blancs
dont chaque feuille était la moitié
d'une perle ; puis elle fit attacher
à la queue de la princesse huit grandes
huîtres pour désigner son rang élevé.
"Comme elles me font mal !
dit la petite sirène.
— Si l'on veut être bien habillé,
il faut souffrir un peu", répliqua
la vieille reine.
Cependant la jeune fille aurait
volontiers rejeté tout ce luxe
et la lourde couronne qui pesait sur
sa tête. Les fleurs rouges de son jardin
lui allaient beaucoup mieux ; mais elle
n'osa pas faire d'observations.
"Adieu !" dit-elle ; et, légère comme
une bulle de savon, elle traversa l'eau.

Andersen

Patron

Catalogue des animaux fantastiques

1. Prépare
une couverture
pour ton catalogue.
Découpe
un rectangle
de cartoline
en couleur (carton
rigide).
Plie-le en deux.

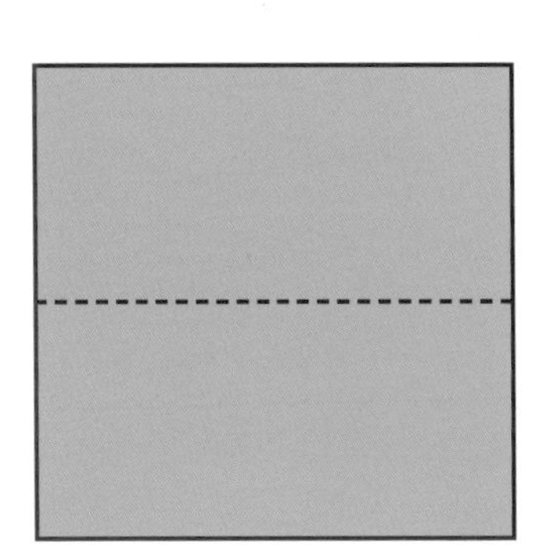

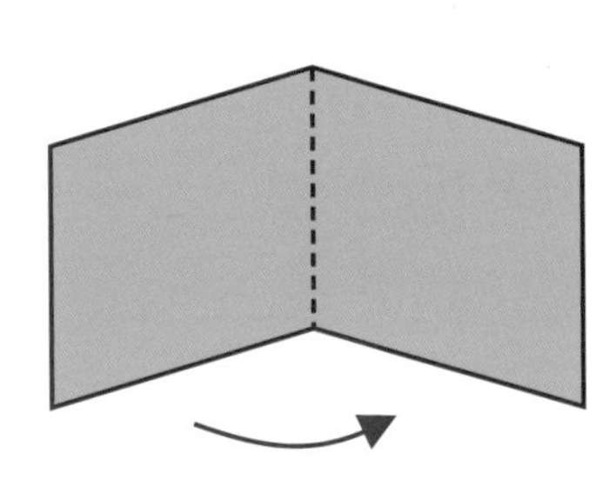

2. Découpe des feuilles
blanches (8 ou 10)
en deux dans le sens
de la largeur.
Fais deux paquets
avec ces feuilles.

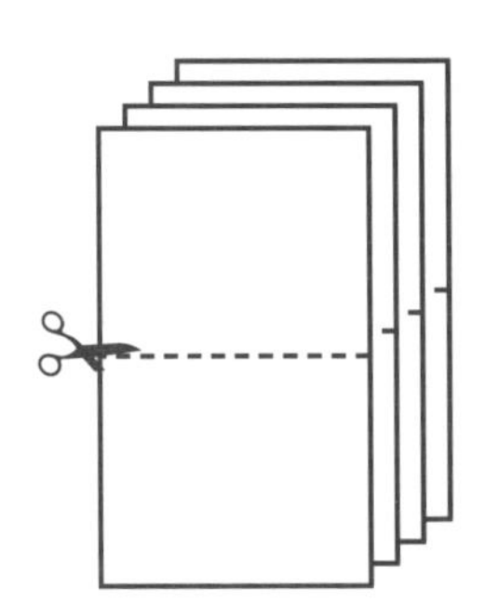

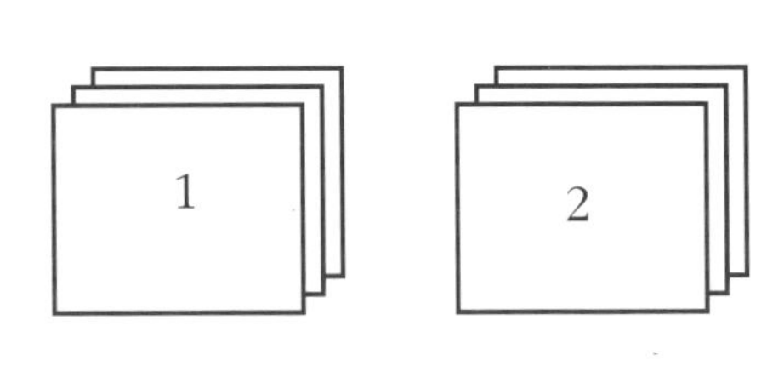

3. Agrafe le premier paquet sur
le bord gauche de la couverture,
le second paquet sur le bord droit.
Voici le catalogue.

4. Dessine un animal et écris
son nom à cheval sur les deux pages.
Continue pour les pages suivantes.

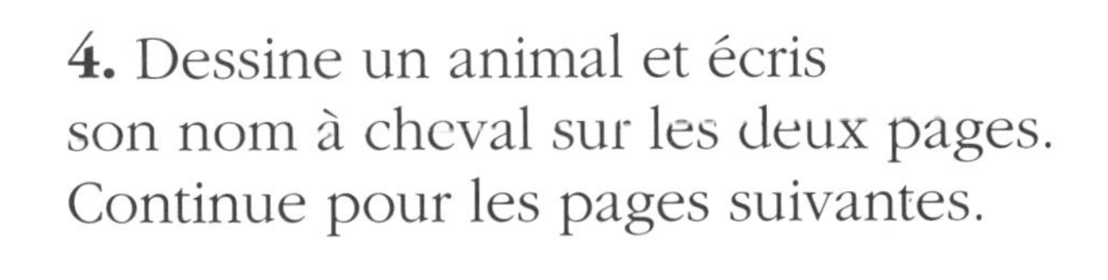

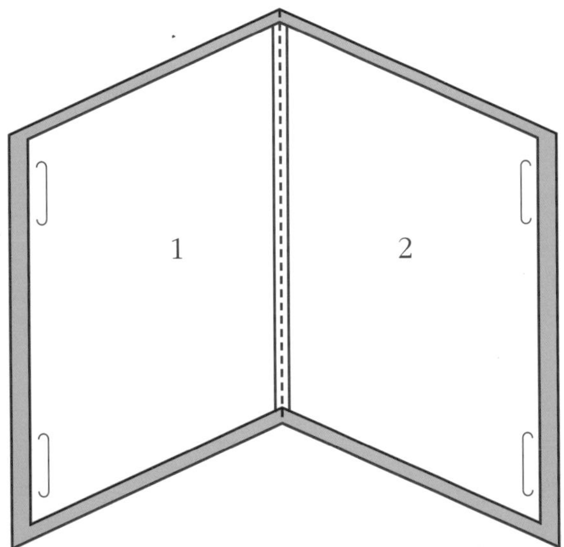